문화와 함께 배우는
만만한 일본어 1

가나 쓰기노트

시사일본어사

히라가나 청음 あ행

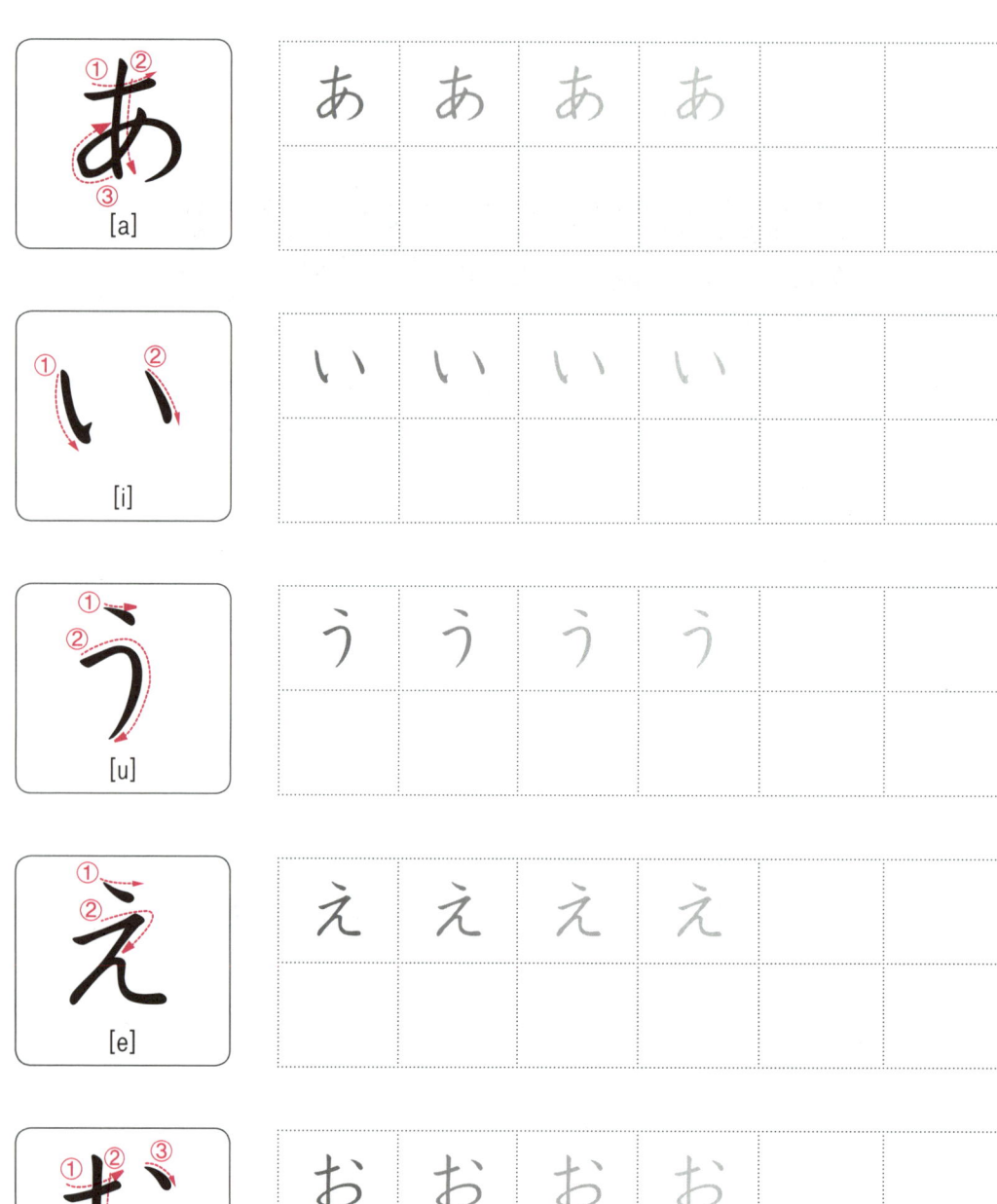

히라가나 청음 か행

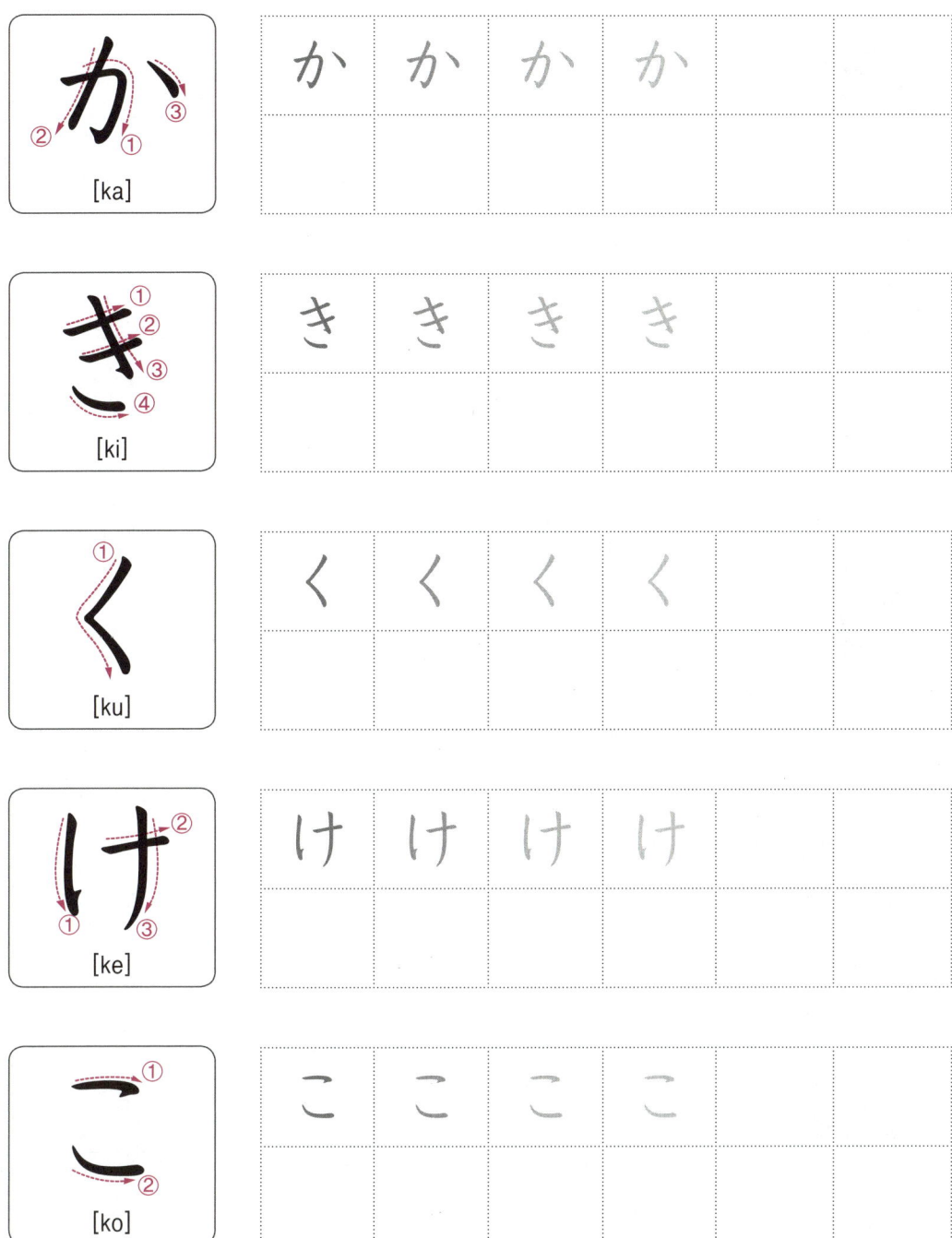

히라가나 청음 さ행

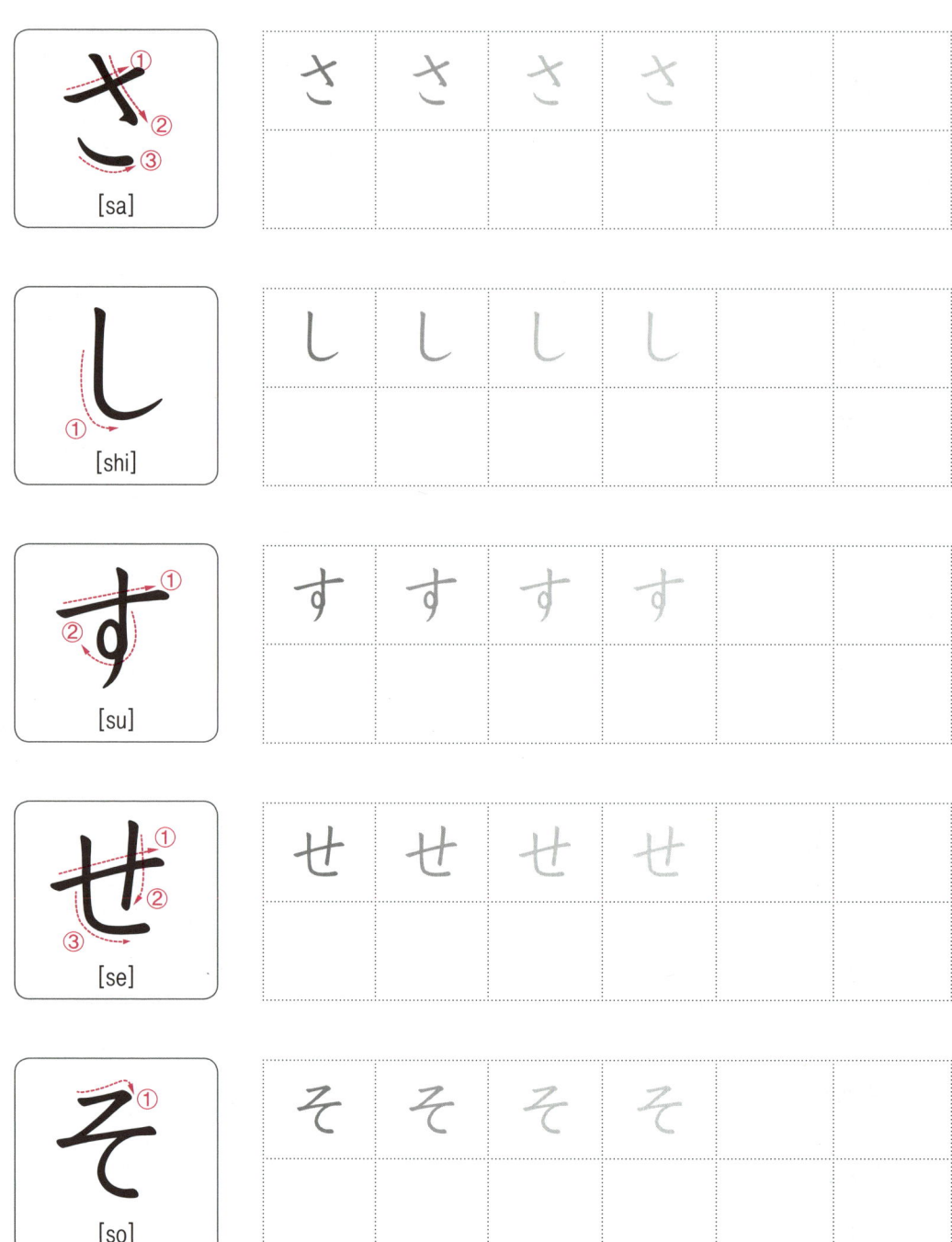

히라가나 청음 た행

히라가나 청음 な행

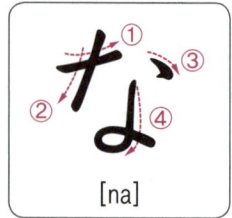

| な | な | な | な | | |

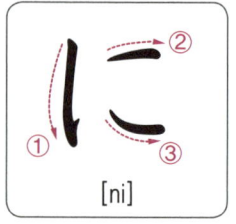

| に | に | に | に | | |

| ぬ | ぬ | ぬ | ぬ | | |

| ね | ね | ね | ね | | |

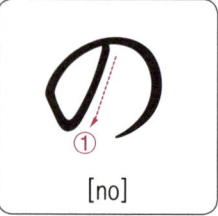

| の | の | の | の | | |

히라가나 청음 は행

히라가나 청음 ま행

히라가나 청음 や행

や	や	や	や		

ゆ	ゆ	ゆ	ゆ		

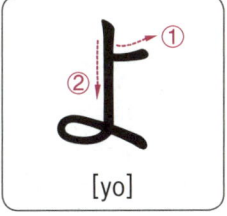

よ	よ	よ	よ		

히라가나 청음 ら행

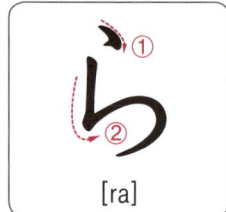

| ら | ら | ら | ら | | |

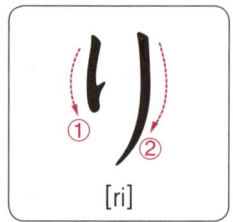

| り | り | り | り | | |

| る | る | る | る | | |

| れ | れ | れ | れ | | |

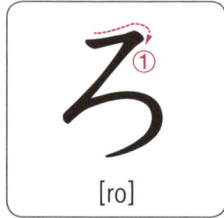

| ろ | ろ | ろ | ろ | | |

히라가나 청음 わ행・ん

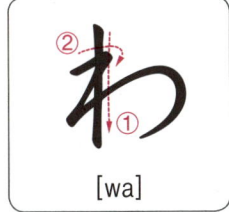

わ	わ	わ	わ		

を	を	を	を		

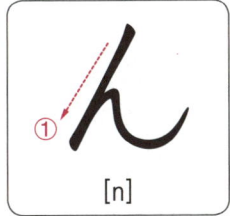

ん	ん	ん	ん		

히라가나 탁음 が행

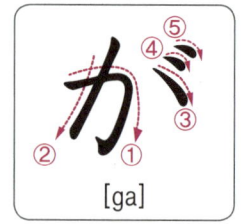

| が | が | が | が | | |

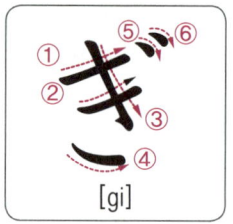

| ぎ | ぎ | ぎ | ぎ | | |

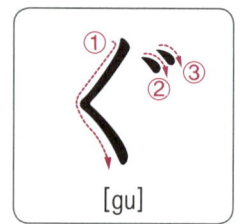

| ぐ | ぐ | ぐ | ぐ | | |

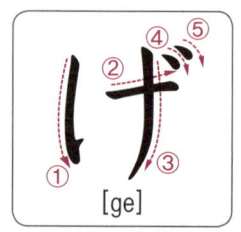

| げ | げ | げ | げ | | |

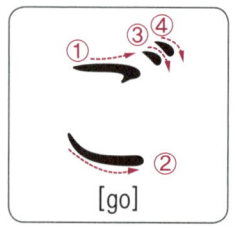

| ご | ご | ご | ご | | |

히라가나 탁음 ざ행

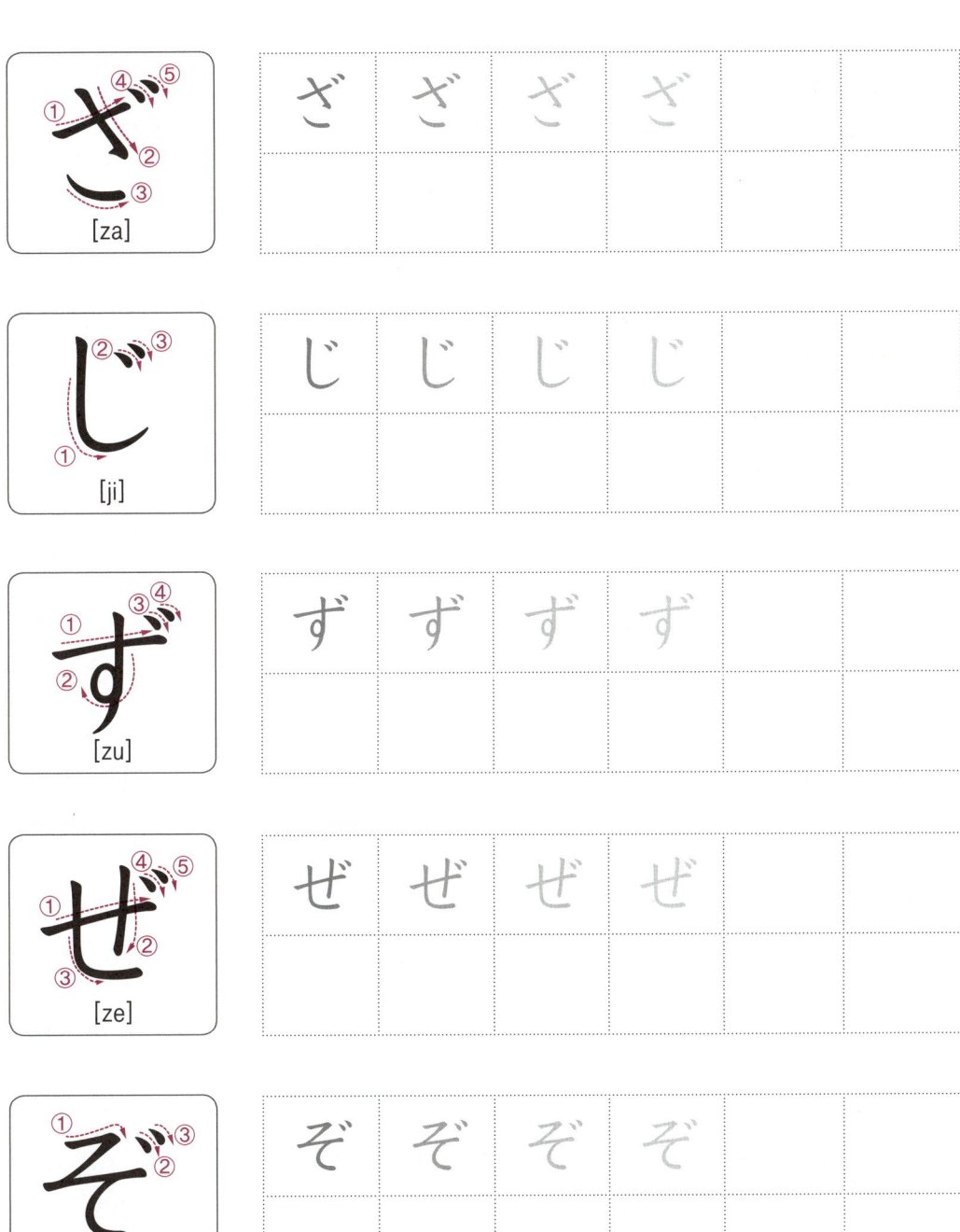

히라가나 탁음 だ행

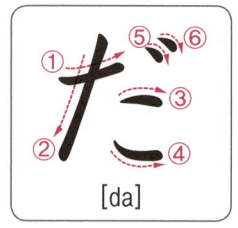
[da]

| だ | だ | だ | だ | | |

[ji]

| ぢ | ぢ | ぢ | ぢ | | |

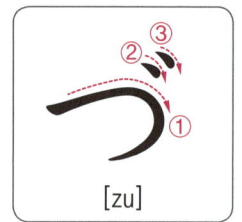
[zu]

| づ | づ | づ | づ | | |

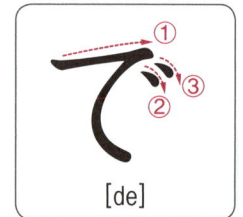
[de]

| で | で | で | で | | |

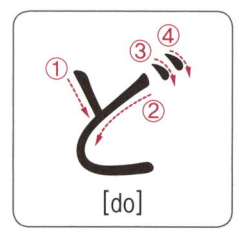
[do]

| ど | ど | ど | ど | | |

히라가나 탁음 ば행

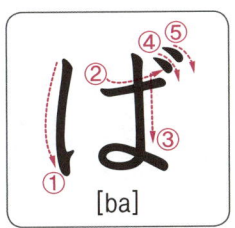

ば	ば	ば	ば		

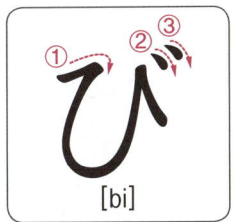

び	び	び	び		

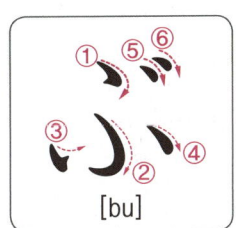

ぶ	ぶ	ぶ	ぶ		

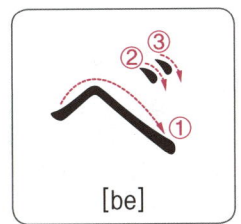

べ	べ	べ	べ		

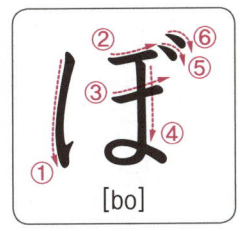

ぼ	ぼ	ぼ	ぼ		

히라가나 반탁음 ぱ행

ぱ	ぱ	ぱ	ぱ		

ぴ	ぴ	ぴ	ぴ		

ぷ	ぷ	ぷ	ぷ		

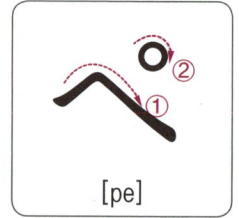

ぺ	ぺ	ぺ	ぺ		

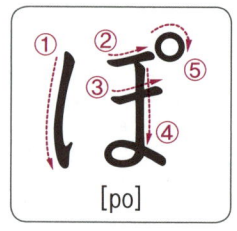

ぽ	ぽ	ぽ	ぽ		

혼동하기 쉬운 글자

あ	あ	あ	あ
お	お	お	お

い	い	い	い
り	り	り	り

き	き	き	き
さ	さ	さ	さ

ち	ち	ち	ち
ら	ら	ら	ら

は	は	は	は
ほ	ほ	ほ	ほ

ぬ	ぬ	ぬ	ぬ
め	め	め	め

る	る	る	る
ろ	ろ	ろ	ろ

ね	ね	ね	ね
れ	れ	れ	れ
わ	わ	わ	わ

가타카나 청음 ア행

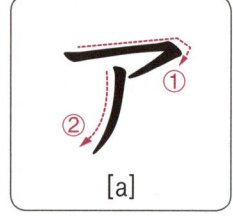

ア	ア	ア	ア		

イ	イ	イ	イ		

ウ	ウ	ウ	ウ		

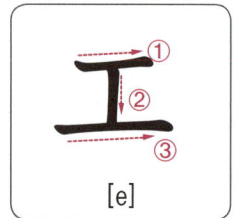

エ	エ	エ	エ		

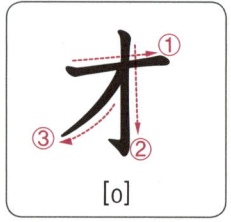

オ	オ	オ	オ		

가타카나 청음 カ행

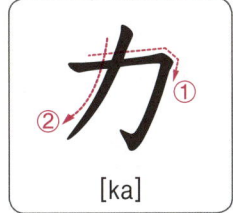

カ カ カ カ

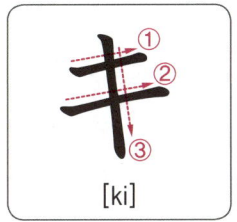

キ キ キ キ

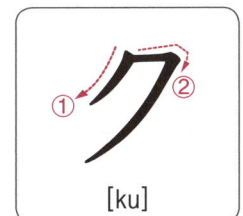

ク ク ク ク

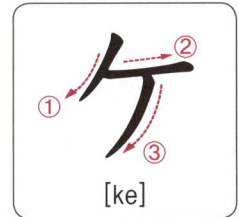

ケ ケ ケ ケ

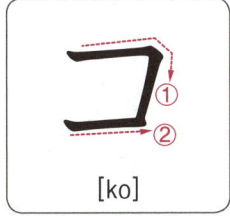

コ コ コ コ

가타카나 청음 サ행

サ	サ	サ	サ		

シ	シ	シ	シ		

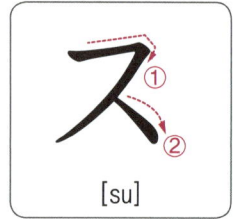

ス	ス	ス	ス		

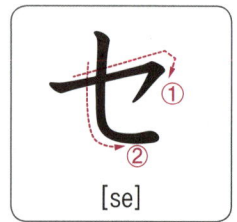

セ	セ	セ	セ		

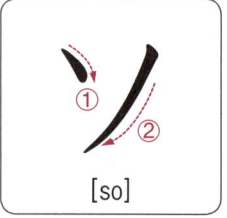

ソ	ソ	ソ	ソ		

가타카나 청음 タ행

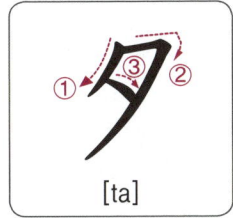

タ	タ	タ	タ		

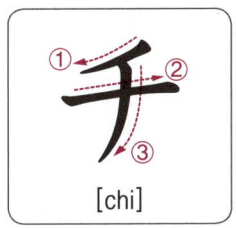

チ	チ	チ	チ		

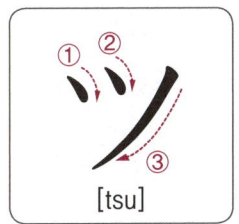

ツ	ツ	ツ	ツ		

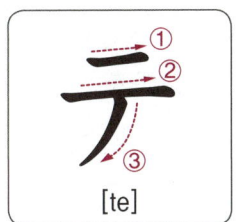

テ	テ	テ	テ		

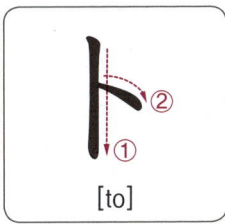

ト	ト	ト	ト		

가타카나 청음 ナ행

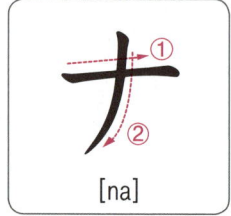
[na]

ナ	ナ	ナ	ナ		

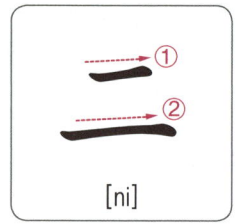
[ni]

ニ	ニ	ニ	ニ		

[nu]

ヌ	ヌ	ヌ	ヌ		

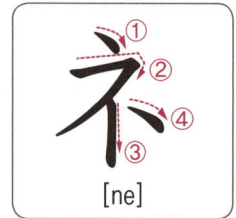
[ne]

ネ	ネ	ネ	ネ		

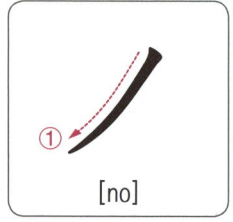
[no]

ノ	ノ	ノ	ノ		

가타카나 청음 ハ행

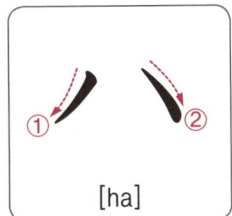

ハ	ハ	ハ	ハ		

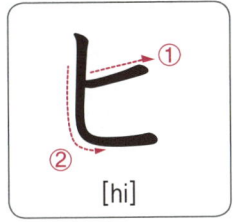

ヒ	ヒ	ヒ	ヒ		

フ	フ	フ	フ		

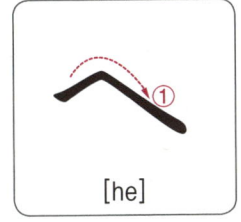

ヘ	ヘ	ヘ	ヘ		

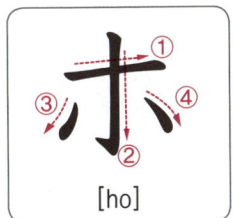

ホ	ホ	ホ	ホ		

가타카나 청음 マ행

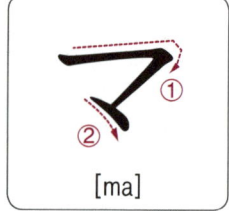

マ	マ	マ	マ		

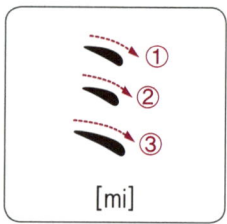

ミ	ミ	ミ	ミ		

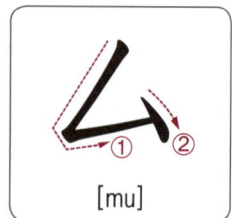

ム	ム	ム	ム		

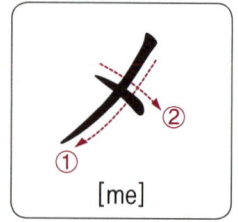

メ	メ	メ	メ		

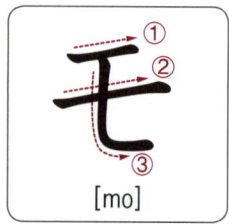

モ	モ	モ	モ		

가타카나 청음 ヤ행

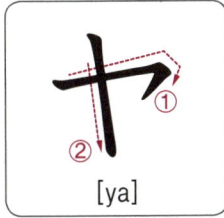

ヤ	ヤ	ヤ	ヤ		

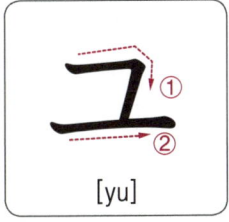

ユ	ユ	ユ	ユ		

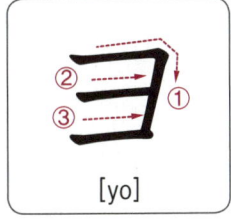

ヨ	ヨ	ヨ	ヨ		

가타카나 청음 ラ행

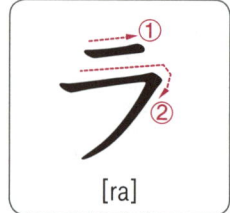

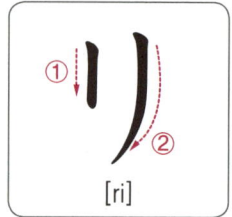

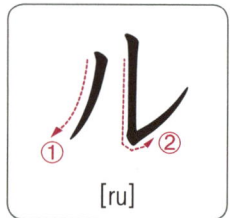

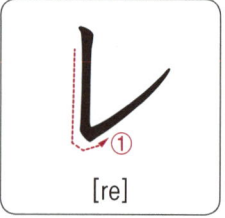

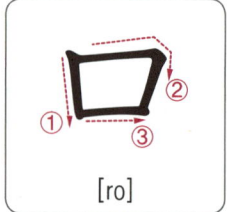

가타카나 청음 ワ행・ン

ワ	ワ	ワ	ワ		

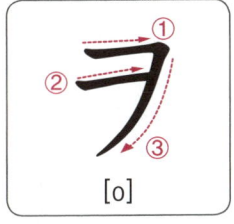

ヲ	ヲ	ヲ	ヲ		

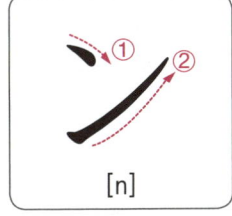

ン	ン	ン	ン		

가타카나 탁음 ガ행

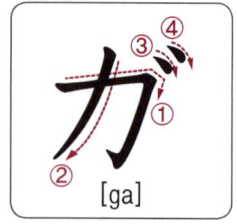

ガ	ガ	ガ	ガ		

ギ	ギ	ギ	ギ		

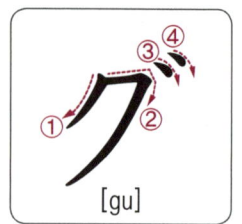

グ	グ	グ	グ		

ゲ	ゲ	ゲ	ゲ		

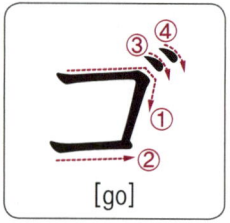

ゴ	ゴ	ゴ	ゴ		

가타카나 탁음 ザ행

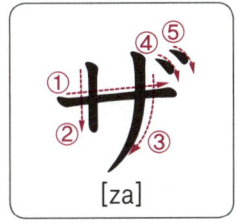

ザ	ザ	ザ	ザ		

ジ	ジ	ジ	ジ		

ズ	ズ	ズ	ズ		

ゼ	ゼ	ゼ	ゼ		

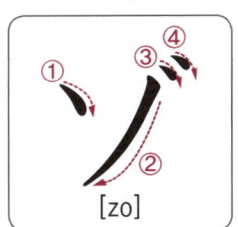

ゾ	ゾ	ゾ	ゾ		

가타카나 탁음 ダ행

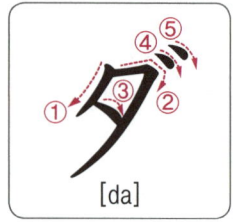

ダ	ダ	ダ	ダ		

ヂ	ヂ	ヂ	ヂ		

ヅ	ヅ	ヅ	ヅ		

デ	デ	デ	デ		

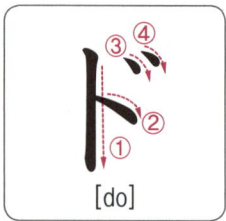

ド	ド	ド	ド		

가타카나 탁음 バ행

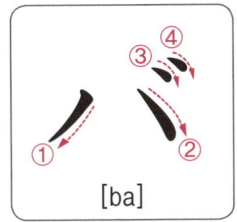

バ	バ	バ	バ		

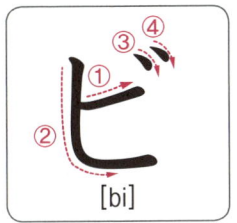

ビ	ビ	ビ	ビ		

ブ	ブ	ブ	ブ		

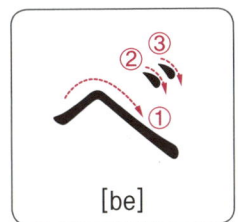

ベ	ベ	ベ	ベ		

ボ	ボ	ボ	ボ		

가타카나 반탁음 パ행

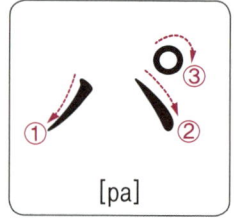

パ	パ	パ	パ		

ピ	ピ	ピ	ピ		

プ	プ	プ	プ		

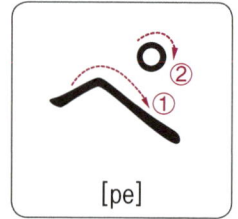

ペ	ペ	ペ	ペ		

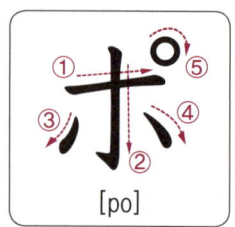

ポ	ポ	ポ	ポ		

혼동하기 쉬운 글자

オ	オ	オ	オ
ネ	ネ	ネ	ネ

ク	ク	ク	ク
ケ	ケ	ケ	ケ

コ	コ	コ	コ
ユ	ユ	ユ	ユ

シ	シ	シ	シ
ツ	ツ	ツ	ツ

ソ	ソ	ソ	ソ
ン	ン	ン	ン

ホ	ホ	ホ	ホ
モ	モ	モ	モ

メ	メ	メ	メ
ヌ	ヌ	ヌ	ヌ

ラ	ラ	ラ	ラ
ヲ	ヲ	ヲ	ヲ

히라가나 요음

きゃ	きゅ	きょ
[kya]	[kyu]	[kyo]

きゃ	きゃ	きゅ	きゅ	きょ	きょ

ぎゃ	ぎゅ	ぎょ
[gya]	[gyu]	[gyo]

ぎゃ	ぎゃ	ぎゅ	ぎゅ	ぎょ	ぎょ

しゃ	しゅ	しょ
[sha]	[shu]	[sho]

しゃ	しゃ	しゅ	しゅ	しょ	しょ

じゃ	じゅ	じょ
[ja]	[ju]	[jo]

じゃ	じゃ	じゅ	じゅ	じょ	じょ

ちゃ	ちゅ	ちょ
[cha]	[chu]	[cho]

ちゃ	ちゃ	ちゅ	ちゅ	ちょ	ちょ

ぢゃ	ぢゅ	ぢょ
[ja]	[ju]	[jo]

ぢゃ	ぢゃ	ぢゅ	ぢゅ	ぢょ	ぢょ

にゃ	にゅ	にょ
[nya]	[nyu]	[nyo]

にゃ	にゃ	にゅ	にゅ	にょ	にょ

ひゃ	ひゅ	ひょ
[hya]	[hyu]	[hyo]

ひゃ	ひゃ	ひゅ	ひゅ	ひょ	ひょ

びゃ	びゅ	びょ
[bya]	[byu]	[byo]

びゃ	びゃ	びゅ	びゅ	びょ	びょ

ぴゃ	ぴゅ	ぴょ
[pya]	[pyu]	[pyo]

ぴゃ	ぴゃ	ぴゅ	ぴゅ	ぴょ	ぴょ

みゃ	みゅ	みょ
[mya]	[myu]	[myo]

みゃ	みゃ	みゅ	みゅ	みょ	みょ

りゃ	りゅ	りょ
[rya]	[ryu]	[ryo]

りゃ	りゃ	りゅ	りゅ	りょ	りょ

가타카나 요음

キャ	キュ	キョ
[kya]	[kyu]	[kyo]

ギャ	ギュ	ギョ
[gya]	[gyu]	[gyo]

シャ	シュ	ショ
[sha]	[shu]	[sho]

シャ	シャ	シュ	シュ	ショ	ショ

ジャ	ジュ	ジョ
[ja]	[ju]	[jo]

ジャ	ジャ	ジュ	ジュ	ジョ	ジョ

チャ	チュ	チョ
[cha]	[chu]	[cho]

チャ	チャ	チュ	チュ	チョ	チョ

ヂャ	ヂュ	ヂョ
[ja]	[ju]	[jo]

ヂャ	ヂャ	ヂュ	ヂュ	ヂョ	ヂョ

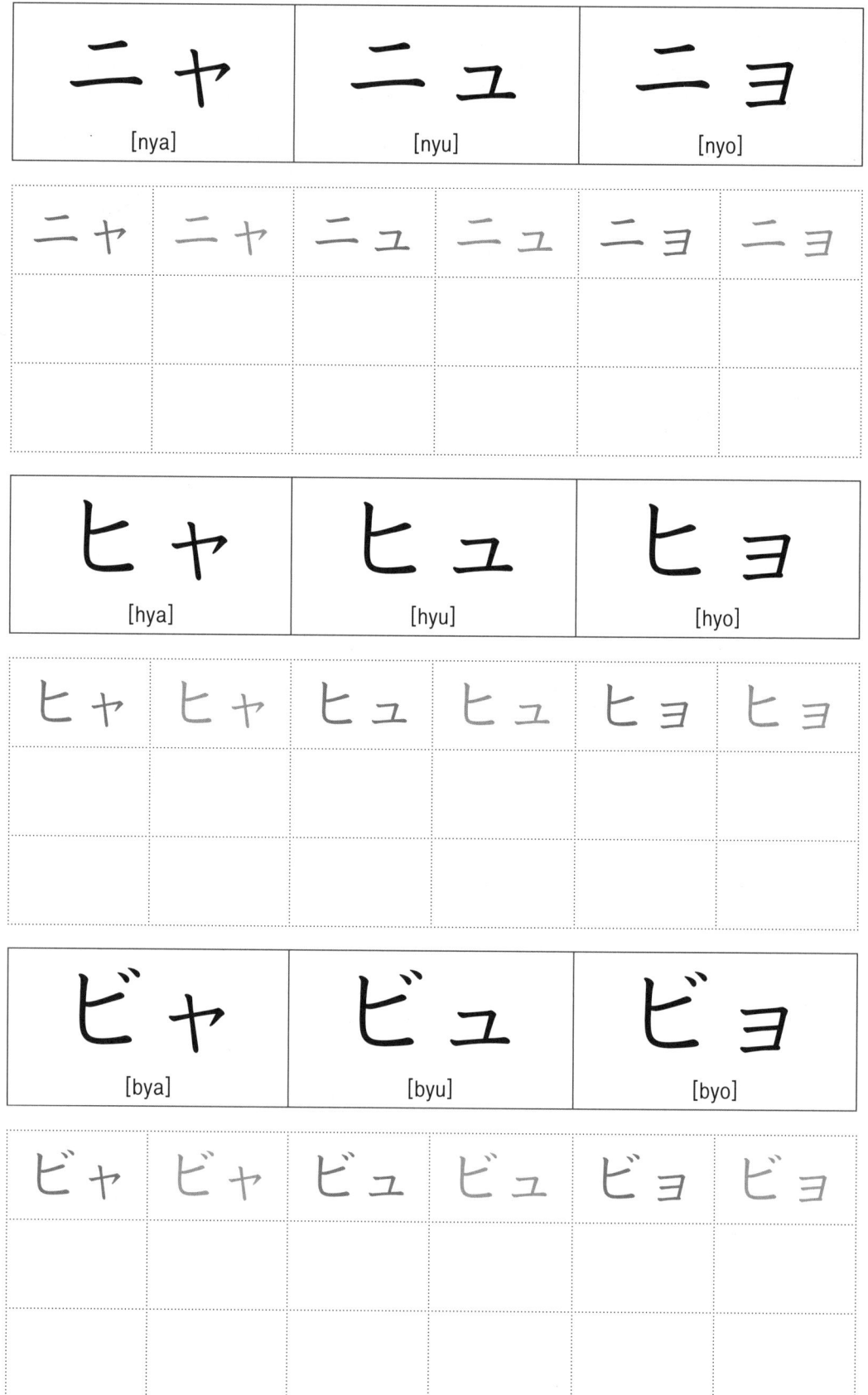

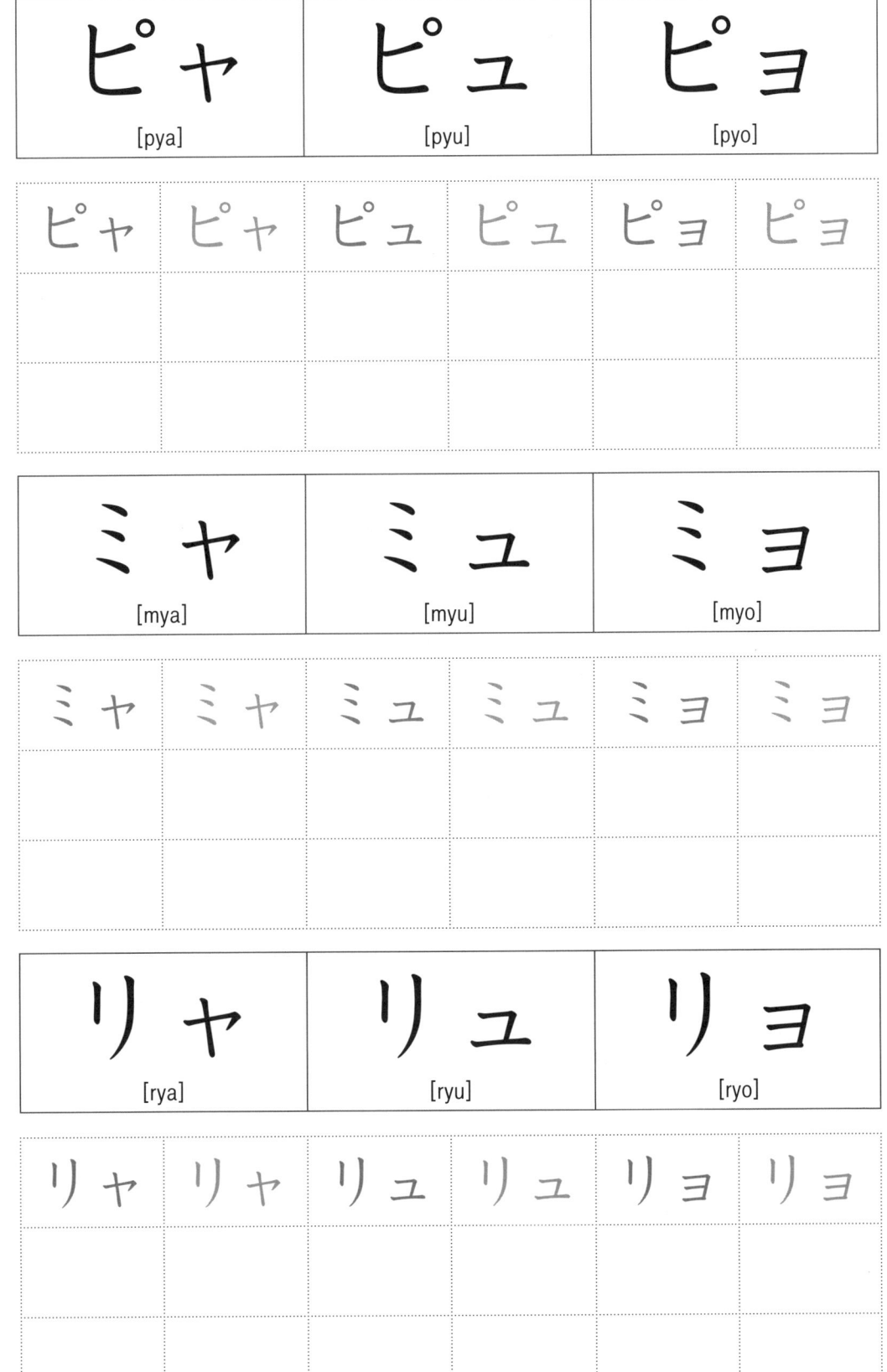